The Tale o the Wee Mowdie

that wantit tae ken wha keeched on his heid

This edition first published in Scotland in 2017 by
Tippermuir Books Ltd., 3 Graham's Place, King Street, Perth PH2 8HZ
www.tippermuirbooks.co.uk

First edition

Scots translation © Matthew Mackie

Tippermuir Books would like to dedicate this book to John and Jacob

Scots language support by Katrina MacLeod, Jim Carruthers, Irene McFarlane and Gordon McFarlane

Title of the original edition: "Vom kleinen Maulwarf, der wissen wollte, wer ihm auf den Kopf gemacht hat"
Text © Werner Holzwarth
Illustrations © Wolf Erlbruch
© Peter Hammer Verlag GmbH, Wuppertal 1989

Scots language edition arranged through mundt agency, Germany

Paperback ISBN: 978-0-99546-237-3
A catalogue record for this book is available from the British Library

Type styling for this edition by Matthew Mackie
Artwork preparation by Bernard Chandler [graffik], Glastonbury, England
This book can be ordered directly from the publisher at the website
www.tippermuirbooks.co.uk

Werner Holzwarth and Wolf Erlbruch

Scots translation by Matthew Mackie

The Tale o the Wee Mowdie

that wantit tae ken wha keeched on his heid

TIPPERMUIR
· BOOKS LIMITED ·

Yin day, the wee mowdie powkit his heid oot frae ablo the grund tae see whether or no the sun had awready risen.
   Then it happent!

(It wis lang an broon, lookit a bit like a link sasser, an the warst o't wis – it laundit richt on his heid.)

"Aw...keech!" cried the wee mowdie. "Wha's done this on ma heid?"

(But he wis that short-sichtit, he coudna see onybody aboot.)

"Did you dae this on ma heid?" he speirt at the doo, that wis juist fleein by.

"Me? Naw, hou coud I?
I dae it like this!"
answert the doo.

(An PLASH – a sappie white blab drappit
ontae the grund, richt aside the wee
mowdie. His richt leg wis splairgit white.)

"Did you dae this on ma heid?"
he speirt at the cuddy, that
wis gressin in the field.

"Me? Naw, hou coud I?
I dae it like this!"
answert the cuddy.

An FLUMP – five great muckle cuddy-aipples
duntit doon juist a midgie's whisker frae the
wee mowdie. He wis gey impressed.

"Did you dae this on ma heid?" he speirt at the maukin.

"Me? Naw, hou coud I?
I dae it like this!"
answert the maukin.

(An RAT-A-TAT-TAT – fifteen
wee roond beans skitit past
the mowdie's lugs. He reskewit
hissel wi a lichtsome lowp.)

"Did you dae this on ma heid?"
he speirt at the gait, that
haed juist been haein
a wee snoozle.

"Me? Naw, hou coud I?
I dae it like this!"
answert the gait.

(An TIK-TAK – a heap o taffie-colourt
wee baws cowpit ontae the gress.
The wee mowdie wis sair temptit
tae try yin.)

"Did you dae this on ma heid?"
he speirt at the coo, that
wis chouin the cud.

"Me? Naw, hou coud I?
I dae it like this!"
answert the coo.

(An KERSPLOSH – a wappin broonish-green
pancake burstit ontae the gress juist aside
the wee mowdie. He wis gey gled the coo
wisna the ane that keeched on his heid.)

"Did you dae this on ma heid?"
he speirt at the grumph.

"Me? Naw, hou coud I? I dae it like this!" answert the grumph.

(An SPLATCH - a saft, broon heap plunkit ontae the gress. The wee mowdie haudit his neb.)

"Did you dae this on ma...?" he wis aboot tae speir yince mair. But as he lookit nearer, he seen anely twa pudgie, black muck-flees. An they were eatin. "At last – a craitur that coud gie's a haund!" thocht the mowdie. "Wha did this on ma heid?" he speirt keenly.

"Haud still", buzzled the flees. Then, efter a wee whilie: "It's as plain as parritch, it wis...

A DUG!"

Noo, at lang an last,
the wee mowdie
kent wha keeched
on his heid...

HAMISH,
the butcher's dug!

Fest as lichtnin, he clam ontae Hamish's kennel...

(An PLINK - a tottie black jobbie laundit richt on tap o the dug's heid.)

Contentit at last, the wee mowdie howkit back doon, an awa intae his unnergrund hoose.